Ars Sacra

una riflessione sulla Passione di Gesù Cristo

tramite l'arte di
Carla Carli Mazzucato

BLUSPARKS

Edizione Italiana

il testo di questo libro è stato scritto in Times New Roman,
Testo copertina e titolo rubrica in
Old London e Lucida Blackletter

ISBN-13: 978-1-7336406-7-1

"Venite a me voi tutti che siete affaticati e stanchi
e io vi ristorerò".

Matteo 11:28

Ars Sacra

Ars Sacra, o arte sacra, è sempre stata una parte integrale della Chiesa Cattolica Romana. Dagli affreschi di Giotto e Michelangelo, alle tele di Caravaggio e le sculture di Donatello, le chiese in tutta Italia e nel mondo, ospitano numerose opere d'arte che esplorano i misteri centrali della fede. Con immagini che illuminano le sacre scritture, interpretando il loro significato, l'arte offre una maggiore comprensione del nostro scopo divino nella vita.

L'esperienza della nostra fede nel mondo è tuttavia cambiata nel corso degli anni; e similmente la Chiesa, cresciuta in una società che sempre cambia, ha approfondito il suo ministero. L'interesse per *Ars Sacra* ha avuto una rinascita, e ha offerto all Chiesa l'opportunità di espandere la sua collezione d'arte religiosa classica con nuovi oggetti d'arte che sono d'interesse ad un pubblico contemporaneo.

Nel 1987, l'Arcidiocesi Cattolica Romana di Bolzano, in Italia, cercava un' artista che avrebbe raffigurato La Passione di Cristo in una serie di dipinti che reinterpretavano la storia di Gesù per la società moderna.

Samuel Sachs II, il direttore del Detroit Institute of Arts da 1985 a 1997, riteneva Carla Carli Mazzucato un'artista *espressionista moderna*. Ella aveva acquisito importanza nel mondo dell'arte contemporanea con le sue mostre di quadri sia in Italia che negli Stati Uniti. Nata e cresciuta ad Appiano, vicino a Bolzano in Italia, Mazzucato rappresentava la voce artistica perfetta per questo incarico.

Dopo un periodo di studio biblico e un'ampia riflessione sulle *Stazioni della Croce*, Mazzucato iniziò la sua creazione di immagini, esplorando la storia scritturale di Gesù e usando i temi che parlavano al complesso mondo moderno in cui viviamo. La sua tematica fu quella di reinterpretare la caduta e il sacrificio di Gesù Cristo come una tragedia parallela a quella della caduta dell'umanità dalla Sua grazia: la *Guerra* e la *Fame* diventano la *Condanna* dell'uomo; mentre la *Compassione* e la *Fede* aprono la strada alla *Speranza* e al perdono.

Dopo aver completato i quattordici dipinti ad olio che compongono la serie, *Volti della Redenzione*, la Mazzucato, ispirata ad esprimere ulteriormente le idee nate dai suoi studi, si mise a completare una seconda serie di opere artistiche. La *Via Crucis*, che comprende quattordici stampe originali in xilografia, le permise di esplorare a nuovo la Passione di Gesù Cristo in tono più drammatico. La serie di tele *Volti della Redenzione* raccontano la storia attraverso composizione e colore, mentre la *Via Crucis* è concepita in tono aspro con immagini incisive in bianco e nero. Da tavolette di legno intagliate a mano, inchiostrate e stampate su carta, Mazzucato ha creato un'altra interpretazione contemporanea che indica la via e vita di Gesú Cristo.

Nella primavera del 1991, la completa serie *Volti della Redenzione* venne presentata e installata nella Chiesa del Corpus Domini di Bolzano, in Italia. Al vescovo di Bolzano-Bressanone, piacque l'interpretazione che la Mazzucato diede alla passione di Gesú in termini validi per il XX secolo, e commosso anche dalla serie della *Via Crucis*, decise di acquistare per l'arcidiocesi un set completo delle stampe xilografiche.

Proprio come l'arte sacra nel corso della storia ci ha collegati alla nostra fede, la serie dei *Volti della Redenzione* e la *Via Crucis* sono una ispirazione ed un esempio di fede e sacrificio divino anche per i nostri giorni, e per il continuo cammino della nostra vita.

Volti della Redenzione

"Poiché con il Signore c'è un amore costante,
e con lui c'è abbondante redenzione".

Salmo 130:7

Carla Carli Mazzucato (c.1991) con il quadro *Fede* dalla serie *Volti della Redenzione*

Volti della Redenzione

un'interpretazione contemporanea della Passione di Gesù Cristo
di Carla Carli Mazzucato

"Con la mia arte, ho sempre cercato di narrare una storia e di trasmettere non solo l'emozione del momento, ma di dare alla storia un senso di un camino verso qualche scopo.

Quando mi è stato chiesto di dipingere la Passione di Gesù per l'Arcidiocesi Cattolica e la Chiesa del Corpus Domini in Italia, sapevo che la serie non sarebbe stata solo un'illuminazione del sacro cammino di Cristo, ma anche un riesame della mia fede nel contesto della vita contemporanea.

La condanna di Gesù si trova di fronte all'avidità e al potere, e proprio come Gesù s'inciampa sulla starda verso il Calvario, la caduta dell'umanità si presenta sotto forma di guerra e fame. Ore di ombra gettano il nostro mondo nel dolore, ma la compassione, la fede e l'amore possono ancora riempirci di speranza per la redenzione.

Questa è la storia che ci spinge a contemplare il viaggio di Gesú: quattordici stazioni della croce che ci tengono perplessi in un'atmosfera di dolore e morte. Ed è anche un nostro viaggio spirituale alla ricerca dello scopo finale della nostra vita".

Carla Carli Mazzucato

I quattordici dipinti originali della serie *Volti della Redenzione* di Carla Carli Mazzucato sono installati nella Chiesa del Corpus Domini a Bolzano, in Italia, e fanno parte della collezione dell'Arcidiocesi Cattolica Romana.

I
Condanna

Giudicato e condannato: una questione di opportunità politica.

Possiamo noi trasformare i volti del Potere, della Lussuria e dell' Avidità,
e fermare quelli che ci porterebbero fuori strada?

Nell'arroganza e nell'ignoranza nasce l'odio, e i guerrafondai d'oggi, con i loro
schemi, prosperano nella nostra divisione, mentre la Terra, a solo scopo di lucro,
viene ridotta a una pietosa collina.

Se restiamo in silenzio di fronte a questo giudizio, anche noi saremo condannati.

II
La Croce

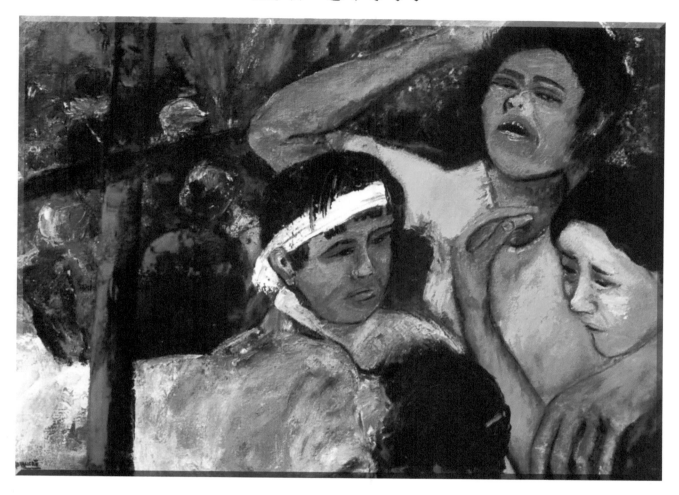

$\mathcal{L}$ibertà schiacciata e Parola fatta carne, il Servo sofferente prende la croce.

I volti dei giovani pensierosi sopportano il loro peso.
Ascolta la loro voce. Ascolta il desiderio silenzioso delle loro anime.
In un futuro, non ancora realizzato, brilla il loro sogno di pace.

E per loro dobbiamo essere ascoltati. Niente più guerra. Mai più.

III
Guerra - la prima caduta

ℐnciampiamo sotto una croce e cadiamo sotto il peso della nostra disperazione.

La visione offuscata dell'uomo non può vedere il volto della guerra, solo le croci e le pietre tombali che rovinano la terra. E in questi campi dell'ira soffriamo.

Oh gioventù, così presto a morire,
mentre le madri ti cullano in sonno piangenti di lacrime.

IV
Convinzione

$\mathcal{L}$a voce di una madre viene messa a tacere, e il figlio tolto scompare.

Che uomo era Lui per portarci speranza?
Ha parlato di una pace che non abbiamo mai conosciuto,
una canzone di gioia mai cantata.
Eppure, nella Sua Parola c'è promessa.

Dalla Sua convinzione, iniziamo ad aver fede, amore e speranza.

V
Ecce Homo

Quale follia è mai quella di mandare a morte il giusto Servo?

Il mio cuore è addolorato, ma tace. È troppo tardi per far sentire la mia voce?

Eppure, ecco l'uomo, i suoi silenziosi passi che seguono all'ombra della croce,
il suo scopo si trova nella condivisione del fardello.

Seguirò e porterò la croce anch'io, e con la mia azione mi farò sentire.

VI
Lamento

Niente parole, solo lacrime di pianto ad asciugare.

Una volta era un uomo, ora deriso e picchiato davanti al popolo,
rimane solo la Sua immagine insanguinata.

Il volto del Signore promesso è sbiadito,
ma nei suoi occhi trovo il riflesso della mia stessa compassione.

fame - la seconda caduta

𝔐iseria si rivela, e l'umanità s'inciampa di nuovo.

Quanti devono morir di fame, anche se abbracciati dall'alto?

Questa croce può essere sollevata se ben ci ricordiamo di farlo, e se ci alziamo a braccia aperte per aiutare anche gli altri a sollevarsi.

.

O è l'esempio della Sua vita così presto dimenticato?

Ore di Oscurità

Un'ombra passa davanti a me e il mio cuore sente solo dolore.

Sono immobile e silenzioso, soffocato da un blocco di fango e sangue.
Aspetto che l'ombra sia passata prima ch'io mi muovi.

Muta la mente, sono testimone di un muro rosso macchiato da una croce.
Nel buio, c'è solo una parola. La parola è morte.

IX
La Morte - la terza caduta

Su le armi di guerra periamo.

Le vuote parole di liberazione mascherano il suono dell'odio che ci divide.
La morte, incappucciata nell'oscurità, cavalca il cavallo apocalittico
risoluto alla distruzione.

Le voci si alzano nel caos, ma quella che una volta era speranza ora è angoscia.
Dove andiamo da qui?
Come possiamo eliminare la paura che ci brucia?

X
Compassione

li innocenti
desiderano
la verità,
e abbracciano
le parole del
Signore:

"In verità vi dico
che se non
diventate come
fanciulli,
non entrerete nel
regno di Dio".

Matteo 18:3

fede

$\mathcal{L}$a fede dei profeti sarà la mia guida.

Loro videro in Gesù la speranza per una pace duratura.
Adesso, guardando a me, i loro occhi brillano
con la speranza della redenzione.

E Io vivrò, nella verità del loro esempio.

XII
Amore

Sei venuto senza ricchezze o eserciti per cambiare il mondo.

L'amore è stata la rivoluzione che hai insegnato.

A chi devo rivolgermi?

Solo Tu hai parole di vita eterna.

XIII
Speranza

Come discepoli preghiamo,
guidati dalla fede e dalla speranza in un domani glorioso.

Ci alziamo dopo essere caduti,
e offriamo la nostra mano a coloro che soffrono sotto la croce.

Viviamo di Fede, di Speranza e di Redenzione.

XIV
Pietà

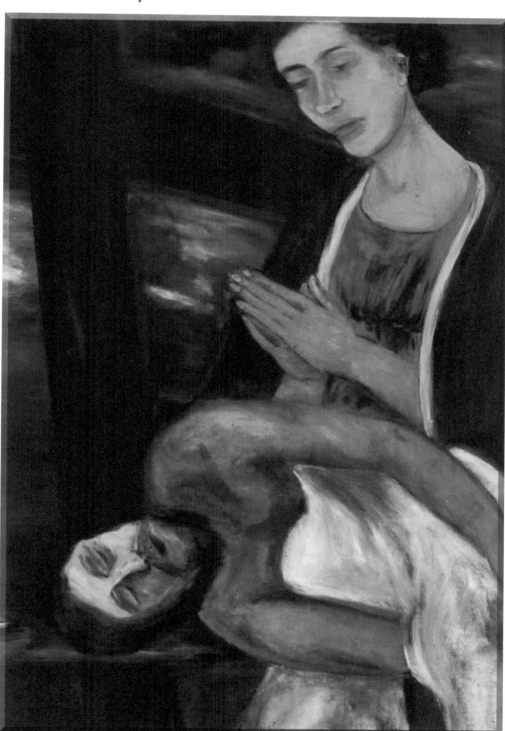

Per mezzo della Tua grazia, mostrami la via.

Vita, Morte e Rinascita.

Via Crucis

"Sei il mio rifugio e il mio scudo;
Ho riposto la mia speranza nella Tua parola".

Salmo 119:114

Carla Carli Mazzucato (c. 1991) con *Veronica* dalla sua serie di xilografia di *Via Crucis*

Via Crucis

le Stazioni della Croce in bianco e nero
di Carla Carli Mazzucato

La xilografia è un mezzo adatto per esplorare potenti temi con immagini nette che trasmettono intense emozioni. Incise su tavole di legno, vengono inchiostrate e poi pressate e stampate su carta. La tecnica apparve per la prima volta in Europa intorno al 1400 e si sviluppò da un semplice metodo per illustrare un libro, in una forma d'arte completamente realizzata.

"Dopo aver completato la serie *Volti della Redenzione* per l'Arcidiocesi Cattolica e la Chiesa del Corpus Domini a Bolzano, in Italia, volevo continuare il percorso artistico che avevo iniziato, e creare un'altra serie di opere che avrebbero interpretato la storia della Passione di Cristo in una forma diversa e drammatica.

Ho distillato le composizioni e le idee che avevo sviluppato nei dipinti ad olio per i *Volti della Redenzione* in immagini grafiche che parlassero più direttamente alle emozioni che provavo riflettendo sul significato di devozione, convinzione e sacrificio. Partendo da Il Giudice, il cui sguardo accusa e condanna, i volti della serie hanno iniziato a raccontare una storia rilevante che affronta le sfide di un mondo in cambiamento.

La *Via Crucis* è la storia d'oggi che cerca di dare senso al viaggio che tutti facciamo. Siamo discepoli, samaritani, persone in lutto e testimoni. Inciampiamo e cadiamo, e cerchiamo con speranza la strada per una migliore comprensione della parte che abbiamo nel mistero divino".

Carla Carli Mazzucato

I
Il Giudice

Chi è il giudice in fronte a me... Con quale legge viene emessa la condanna?

Scaglia la pietra…l'atto di sua mano non può essere giusto.
Per quanto imperfetti noi siamo, devo distogliere il mio sguardo e pregare che i suoi occhi accusatori non siano i miei.

II
Il Servitore Sofferente

Posso io vivere secondo il Suo esempio...
e accettare la mia croce e portarla con grazia?

Il cammino non sarà senza sofferenza, ma seguendo i Suoi passi,
La via si rende più chiara.

III
Prima Caduta

Le armi della discordia e della guerra bloccano la strada...
e noi inciampiamo e cadiamo.

Perché? È forse l'orizzonte troppo lontano per vedere la pace...
troppo difficile da comprendere? Devo rialzarmi.

IV
Maria

Dallo sguardo di Sua madre, è la forza per continuare.

Dalla Sua forza, posso io trovare la mia.

V
Simon

Non rimarrò in silenzio,
Non ignorerò la sofferenza degli altri...

Parlerò e sarò testimone e condividerò il peso
per onorare il Suo sacrificio.

Veronica

Il Suo volto, come il ricordo del Suo scopo divino,
può svanire con il tempo.

Quindi terrò presente la Sua immagine,
e la promessa del Suo viaggio divino.

Seconda Caduta

L'umanità si protende nel bisogno... e inciampiamo di nuovo.

Povertà, fame, malattia... Questa croce può essere sollevata,
il suo peso schiacciante diminuito, purchè ricordiamo.

VIII
Le Mura di Gerusalemme

Questa croce è portata dal mondo,
Tutte le sue paure e pregiudizi, ogni volto nascosto nell'ombra.

Contro il muro, mi ritiro al sicuro,
Finché non potrò fare di nuovo un passo avanti.

Terza Caduta

Schiacciato.
Soto il peso della guerra e dell'odio, restiamo nell'oscurità e nel dolore.

Io non riesco a vedere oltre la paura.

X
Innocenti

$\mathcal{E}$ gli innocenti risorgono.
Imperterriti dalle ombre cadenti, coraggiosi nella loro fede e risoluti.

Mi fiderò e crederò anch'io nel loro futuro.

𝔉ede...
non nell'ignoto,
ma nel sapere che seguendo il Suo esempio,
posso credere in un mondo migliore di compassione e grazia.

XII
Gesù di Nazareth

Uomo. Maestro Divino...
Come posso conoscerTi meglio?
Vivere come ci hai esortato a vivere, amare come ci hai insegnato ad amare...
Rivolgerò i miei pensieri a Te,
e diventerò la luce che Tu mi hai chiamato ad essere.

XIII
L'Apostolo

Guidami con le tue parole di vita,
e lavorerò con tutto il cuore e la mente per aprirmi un nuovo percorso.

In modo che nel seguirTi, mostrerò la via per un mondo migliore.

XIV
Inumazione

Riempimi con il Tuo spirito. Svegliami con la Tua presenza,
e rotolerò indietro la pietra,
e risorgerò alla luce di un nuovo giorno.

Per la Tua grazia, mostrami la Via.

riflessione

Dal vero Tuo esempio,
nasce la speranza che sostiene il mio respiro.

Nella tempesta,
la Tua presenza calma il mare.
Nell'oscurità di un mondo disperato,
la Tua voce sorge nel buio,
e le Tue parole, come brace di fiamma,
brillano luminose e rischiarano la via.

Affronterò le difficoltà e il dolore della mia vita.
Inciamperò e cadrò.
Ma come Tu hai portato la Tua croce,
io accetterò la mia, e mi rialzerò.
Avrò, nella fede, la speranza di un mondo migliore
dove tutti saremo abbracciati nel Tuo amore sconfinato.

pvm

Volti della Redenzione - alla Chiesa del Corpus Domini, Bolzano, Italia

 *l'artista*

Carla Carli Mazzucato è nata ad Appiano, tra le Alpi del nord Italia, nel 1935. Il suo lavoro è stato presentato al pubblico per la prima volta nel 1969. Dal 1982, la sua arte è stata esposta regolarmente a New York City e in gallerie e musei negli Stati Uniti, in Canada e in Italia.

Lo stile unico della Mazzucato la distingue dagli altri artisti del XX secolo. I suoi dipinti sono stati confrontati con i capolavori di Chagall, Renoir, Monet e Van Gogh, ed è stata descritta come "espressionista moderna" da Samuel Sachs II, direttore del *Detroit Institute of Arts* dal 1985 al 1997. La Mazzucato è stata anche riconosciuta come nota artista contemporanea presso SoHo Fine Arts Institute di New York.

Le opere dell'artista hanno trovato posto e valore in collezioni pubbliche e private negli Stati Uniti, in Canada, Italia, Austria, Germania, Francia, Corea del Sud e Giappone. Le opere commissionate da Mazzucato sono esposte al Teatro dell'Opera di Detroit, al Consolato Italiano di Detroit, al Museo di Appiano e alla Chiesa del Corpus Domini di Bolzano in Italia.

www.mazzucato.org

www.blusparks.com

Lightning Source UK Ltd.
Milton Keynes UK
UKHW051118241120
373968UK00005B/101